ChatGPT로 하루만에 타로 전문가 되기

ChatGPT로 하루만에 타로 전문가 되기

발 행 | 2024년 9월 2일
저 자 | 문사인
펴낸이 | 한건희
펴낸곳 | 주식회사 부크크
출판사등록 | 2014.07.15(제2014-16호)
주 소 | 서울특별시 금천구 가산디지털1로 119 SK트윈타워 A동 305호
전 화 | 1670-8316
이메일 | info@bookk.co.kr

ISBN | 979-11-419-0301-5

www.bookk.co.kr

ChatGPT로 하루만에 타로 전문가 되기

문샤인 지음

BOOKK

들어가며

누구나 하루만에 타로 전문가가 될 수 있을까?

타로 카드는 오랫동안 인간의 직관, 심리, 삶을 해석하는 도구로 사용되어 왔다. 현대에서도 타로 카드는 사람들의 심리를 치유하고 미래를 예측하는 수단으로 사랑받는다.

한편, 점술, 명리학, 운세와 같은 전통적인 영역은 기술의 발전에도 불구하고 변하지 않을 것이라고 믿는 사람들이 있다. 하지만 필자는 다르게 생각한다. 빠르게 변화하는 세상에서 적응하는 사람들만이 살아남는다는 말이 있듯이, 타로 상담의 분야에도 새로운 혁신을 받아들여야 한다고 믿는다. 인공지능과 프롬프트 기술을 이 분야에 적용하면 더욱 깊이 있고 정확한 상담이 가능하기 때문이다.

ChatGPT가 출시된 지 거의 2년이 되었다. 그동안 우리는 상상하지 못했던 방식으로 정보에 접근하고, 지식을 확장하며, 문제를 해결할 수 있게 되었다. 현재의 인공지능은 초기

버전에 비해 더 자연스럽고, 정확하며, 스마트해졌다. 이렇게 진화한 인공지능 덕분에 타로 리딩 또한 더욱 정교한 분석과 상담이 가능해졌다.

이 책은 타로 카드에 인공지능(AI, Artificial Intelligence)을 접목해 타로 초보자든, 인공지능 초보자든 **누구나 전문가처럼** 타로 리딩을 할 수 있도록 돕는다. 또한, 출시 초기부터 현재까지 ChatGPT의 변화를 반영하고, 프롬프트를 심층적으로 이해하여 심화 적용하는 방법과 수익화 방안까지 다룬다.

즉, 이 책을 통해 새로운 방식으로 "무(無)"에서 "유(有)"를 창조하는 방법을 알려 주려고 한다.

이 책이

- 누군가에게는 새로운 수입원을 제공하는 **부업**이,
- 누군가에게는 타로와 인공지능의 결합으로 **새로운 통찰력**의 계기가,
- 누군가에게는 더욱 깊이 있는 대화를 나눌 수 있는 **타로 상담의 훌륭한 도구**

가 되기를 바란다.

2024년 8월 무더위에서

문샤인

목차

CHAPTER 1에서는 타로 카드의 기본 리딩 원칙과 타로 카드와 인공지능의 융합에 대한 이해를 다룹니다.

CHAPTER 1

타로 카드와 인공지능의 만남

CHAPTER 1. 타로 카드와 인공지능의 만남

STEP 1. 타로 리딩 기본기 10분만에 파악하기 - 기본 상징적 원칙과 스프레드

1. 타로 카드의 구성

타로 카드는 "메이저 아르카나" 라고 불리는 22장의 카드와 "마이너 아르카나"로 불리는 56장의 카드를 합쳐 총 78장으로 구성된다. 쉽게 말해 22장의 큰 흐름 카드와 56장의 작은 흐름 카드이다.

조금 더 세부적으로 나누면 이 78장은 22장의 이름과 스토리가 있는 메이저 아르카나와 4가지 원소(막대기, 검, 잔,

펜타클)에 1~10까지 숫자를 부여한 40장, 4가지 인물(소년, 기사, 여왕, 왕)에 4원소를 부여한 16장으로 나뉜다.

예를 들어, 위 사진은 0번 메이저 카드인 "바보(The Fool)"와 마이너 카드인 "완드 1(Ace of Wands 막대기)"이다.

하지만 걱정하지 않아도 된다. 실제 카드 덱으로 타로 점을 보지 않는 한 모든 카드의 상징과 의미를 외울 필요는 없다. 대략적으로 구성만 이해해도 충분하다. **어차피 ChatGPT가 다 기억하고 있다.**

2. 스프레드

스프레드란 타로 카드를 뽑아 배열하는 방식이다. 상황과 질문에 따라 다르고, 타로 술사마다 사용하는 스프레드가 다를 수 있다. 하지만 가장 많이 사용하는 **"3장 뽑기"**(Three-Card Spread)가 기본이 된다.

위와 같이 카드를 덱에서 뽑은 순서대로 리더(타로 술사)를 기준으로 왼쪽부터 놓는다. 각 세 카드의 요소는 다양하게 응용할 수 있다.

예를 들어,

1) 원인 - 과정 - 결과
2) 과거 - 현재 - 미래
3) 아침 - 낮 - 밤
4) 처음 - 중간 - 마지막

등의 조합이 가능하다.

이외에도 한 장 뽑기(One-Card Spread), 열 장 뽑기(Celtic Cross Spread: 보다 세부적인 분석을 할 때 사용), 다섯 장 뽑기(Horseshoe Spread), 일곱 장 뽑기(Full Moon Spread) 등 다양한 스프레드가 있다. 이들 모두는 ChatGPT의 프롬프트 명령어를 적용하여 해석할 수 있다.

3. 리딩

이제 카드도 뽑았으니 리딩을 진행할 차례이다. 일반적으로 타로 리딩은 타로 카드의 상징과 의미를 내담자의 **①정보 ②상황 ③질문**에 맞추어 종합하여 진행한다. 예를 들면

> ① 20 대 남성 ② 여자친구의 집착 때문에 너무 힘듦, 만난지 1년 3개월 ③ 다른 건 다 좋은데 집착이 너무 힘들어요, 헤어져야 할까요?

라는 질문을 던졌다고 가정해 보자. 이때 다음과 같은 카드가 주어졌다면 어떤 타로 술사는 아래와 같이 얘기할 수도 있다.

리딩 예시: 과거에 당신은 도전과 어려움을 많이 느꼈겠군요. 첫번째 카드는 힘, 통제, 인내, 의지 등을 나타냅니다. 그래도 여자친구의 집착을 해결하시기 위해 많은 노력을 기울였지만, 그로 인해 상당히 힘들고 답답한 상황에 처해 있습니다. 여자친구의 집착이 당신의 감정적인 부담을 가중시키고 있죠. 두번째 카드는 관계, 소통, 연결 등을 나타냅니다. 지금도 서로 연결되어 있는 강한 유대감이 존재하지만, 더 진심으로 소통하고 서로의 기대와 성격을 더 이해해야 합니다. 현재의 집착은 그 관계를 위태롭게 만들고 있기 때문입니다. 마지막 카드를 보면 앞으로도 소통의 어려움과 갈등이 있을 수 있습니다. 이 카드는 냉철함과 객관성을 상징합니다. 검을 든 왕은 통제력이 강하고 감정과 소통과는 거리가 멀어요. 현재의 갈등 해결에는 도움이 될 수 있습니다. 하지만 감정적인 연결이 약해질 위험도 있습니다. 따라서, 결국 소통과 이해 없이는 오래 이어 나가기 힘듭니다. 최종 결정 전에 진심으로 솔직하게 이야기 해보시는 것이 필요하고, 객관적으로 판단해야 합니다.

다음은 ChatGPT 출시 초기의 답변 예시이다.

과거의 힘(The Strength) 카드는 여러분이 어려움을 극복할 수 있는 능력이 있음을 나타냅니다. 현재의 연인(The Lovers) 카드는 진실한 소통과 이해가 관계 개선의 핵심이라는 메시지를 전합니다. 미래의 거꾸로 된 왕검(King of Swords Reversed)은 감정적 갈등이나 소통의 어려움이 지속될 수 있음을 보여줍니다.

이 카드들을 종합적으로 고려할 때, 헤어질지 결정하기 전에 상대방과 소통하고 이해를 높이는 노력을 기울여 보는 것이 좋을 것 같습니다. 현재 집착 문제를 해결하기 위해 서로 마음을 열고 깊이 있는 대화를 나눠보시길 권장합니다.

다음은 ChatGPT 최신 버전의 답변 예시이다.

안녕하세요. 뽑힌 카드들을 과거, 현재, 미래 순으로 해석해 드리겠습니다. 먼저 과거를 나타내는 Strength 카드는 여러분이 여자친구와의 관계에서 많은 인내와 내면의 힘을 발휘해왔음을 보여줍니다. 과거에 많은 어려움이 있었지만, 이를 극복하려고 노력한 시간이었음을 말해줍니다. 현재를 나타내는 The Lovers 카드는 여러분이 여자친구와의 관계에서 중요한 결정을 내려야 하는 시점에 와 있음을 나타냅니다. 이 카드가 의미하는 것은 현재의 관계가 깊고 의미 있지만, 집착 문제로 인해 갈등이 있다는 것입니다. 마지막으로 미래를 나타내는 King of Swords 카드는 앞으로 이성적이고 공정한 판단을 통해 관계의 향방을 결정해야 할 필요성을 강조합니다. 감정보다는 논리와 지혜를 바탕으로 문제를 해결하거나 결정을 내려야 할 때가 올 것입니다. 종합적으로 여러분은 과거에 많은 인내를 발휘해왔고, 현재는 중요한 결정을 내려야 하며, 미래에는 이성적인 판단이 필요할 것입니다. 힘내시고 현명하게 대처하시길 바랍니다.

프롬프트를 조금 더 수정해서 입력하면, 다음과 같이 더욱 상세한 답변을 얻을 수도 있다.

안녕하세요. 타로 점을 보러 오셨군요. 지금 상황이 많이 힘드신 것 같아요. 뽑힌 카드를 토대로 해석해 보겠습니다.

1. **Strength (힘)**
   - **의미:** Strength 카드는 용기, 인내, 내적 힘을 상징합니다. 이 카드는 여러분이 현재 상황에서 내면의 힘을 발휘해야 할 때임을 알려줍니다. 여러분은 매우 인내심이 강한 사람이며, 현재의 어려움도 극복할 수 있는 힘을 가지고 있습니다. 이 카드는 여자친구의 집착을 이해하고, 해결하려는 노력이 중요함을 시사할 수 있습니다.
2. **The Lovers (연인)**
   - **의미:** Lovers 카드는 사랑과 관계, 선택을 나타냅니다. 이 카드는 여러분의 관계가 깊고 의미 있는 관계임을 말해줍니다. 하지만 동시에 중요한 결정을 내려야 할 시점이 왔음을 의미할 수도 있습니다. 이 관계를 계속 유지할 것인지, 아니면 다른 길을 선택할 것인지에 대한 고민이 필요함을 암시합니다. 여러분이 현재의 관계에서 무엇을 원하는지, 그리고 여자친구와의 관계에서 어떻게 더 나은 균형을 찾을 수 있을지 깊이 생각해 보아야 합니다.
3. **King of Swords (검의 왕)**
   - **의미:** King of Swords 카드는 논리, 지혜, 공정함을 상징합니다. 이 카드는 여러분이 감정이 아닌 이성적인 판단을 통해 결정을 내려야 할 때임을 알려줍니다. 상황을 명확하게 분석하고, 공정하게 생각하여 결정을 내려야 합니다. 집착 문제를 해결하기 위해서는 솔직한 대화와 명확한 의사소통이 필요할 수 있습니다.

종합 해석

현재 상황이 많이 힘드실 것 같습니다. Strength 카드는 여러분이 내면의 힘을 발휘하여 인내와 용기로 문제를 해결할 수 있음을 시사합니다. The Lovers 카드는 관계의 중요성과 동시에 중요한 결정을 내려야 할 시점을 나타냅니다. King of Swords 카드는 이성적이고 공정한 판단이 필요하다는 것을 알려줍니다.

결국, 여러분이 여자친구와의 관계를 어떻게 유지할 것인지에 대해 깊이 생각해보고, 솔직한 대화를 통해 서로의 문제를 해결하는 노력이 필요할 것입니다. 만약 이러한 노력에도 불구하고 관계가 개선되지 않는다면, 이성적인 판단을 통해 결정을 내리는 것이 중요합니다.

힘들겠지만, 내면의 힘을 믿고 현명하게 대처하시길 바랍니다. 필요한 경우, 전문가의 도움을 받는 것도 좋은 방법일 수 있습니다.

꽤나 흥미롭지 않은가?

STEP 2. 타로 카드, 꼭 사야만 할까?

정답은 "NO"이다. 하지만 타로 카드의 특성을 고려한다면 실물 카드 덱 하나쯤은 구매하는 것을 권장한다. 실제로 카드를 만지고 뽑는 과정에는 과학적인 것 이상의 무언가가 있다고 생각되기 때문이다.

그렇다면 어떤 덱을 사야 할까? 정답은 없다. 하지만 초보자에게는 "유니버셜 웨이트 타로" 나 "라이더 웨이트 타로"를 추천한다. 시중에는 수백종의 타로 카드 덱이 있지만 이 두 덱은 가장 기본이 되는 것들이다. 만약 끌리는 그림이 있다면 그것을 사도 무방하다. 단, 덱이 총 78장으로 구성되어 있는지, 앞서 설명한 구성대로 되어 있는지 살펴보아야 한다. 이는 ChatGPT가 주로 대중적인 타로 카드 덱을 기준으로 학습되었기 때문이다.

타로 카드 덱을 구매하고 싶지 않다면, 웹사이트나 어플을 통해 카드를 뽑을 수도 있다. 다음 페이지에서 구체적인 방법을 소개한다. 물론, 이마저도 번거롭다면 ChatGPT에게 대신 뽑아 달라고 요청해도 된다.

① 웹사이트: 카니타로 등

https://www.canee.co.kr/tarot/index.php

이 사이트는 스프레드에 따라, 수동 또는 자동으로 뽑을 수 있는 기능이 있어 유용하다. 휴대폰으로 QR코드를 스캔하면 사이트로 이동할 수 있다.

② 어플: "갤럭시 타로" "헬로우봇" 등등 .

앱스토어나 구글스토어에 "타로 카드 뽑기" 등을 검색하면 다양한 앱을 찾을 수 있다.

③ ChatGPT

명령어(프롬프트)를 통해 ChatGPT에게 타로 카드를 뽑으라고 지시할 수 있다. 심지어 해당 카드의 이미지를 보여주도록 할 수도 있다. ChatGPT로 이미지를 출력하는 프롬프트는 뒤의 챕터에서 제공한다.

STEP 3. 어떻게 타로 카드를 ChatGPT에 적용할 수 있을까?

ChatGPT는 자연어 처리 인공지능이다. 즉, 컴퓨터 언어가 아닌 우리가 사용하는 일상 언어로 질문하고 대답할 수 있다. 뿐만 아니라, 각종 지식이 학습되어 있다. 여기에는 타로 카드에 관한 지식도 포함되어 있다. 따라서 ChatGPT는 타로 카드의 해석을 자연스러운 한국어로 읽어줄 수 있다. 이를 잘 활용하기만 하면 되는데, 단순히 카드 이름만 제시하고 해석해 달라고 하면 결과가 자연스럽지 못하거나 정확하지 않은 때가 많다.

이를 해결하기 위해, "프롬프트" 라고 하는 명령어를 잘 입력해야 한다. 프롬프트란, ChatGPT와 같은 인공지능이 특정한 방식으로 작동하도록 지시하는 언어이자 대화의 출발점이다. 쉽게 말해, ChatGPT 화면에서 메시지를 입력하는 부분에 적는 '채팅'이다.

프롬프트를 설계할 때는 ChatGPT에게 **①명확한 역할을 부여하고, ②다양한 변수를 통제하며, ③세부 사항에 신경 쓸수록** 더 좋은 결과를 얻을 수 있다. 또한 사용자의 상황에 맞게 프롬프트를 개인화하여 사용할 수 있고, 이를 통해 내 지식을 학습하게 할 수 있다.

예를 들어, "타로 좀 봐줘"와 같은 모호한 요청보다는 "나는 평일에 아르바이트를 하는 평범한 20대 남성이다. 오늘 당신에게 타로 점을 보러 왔고, 여자친구가 빠른 시일 내에 생길지 궁금하다. 내가 뽑은 카드는 3번, 18번, 62번이다."라고 구체적으로 질문하면 훨씬 더 정확하고 세부적인 결과를 얻을 수 있다.

프롬프트 작성은 크게 다음과 같이 나눌 수 있다.

1. 카드 데이터베이스 구축
2. 질문을 기반으로 한 카드 뽑기
3. 카드 리딩 방법
4. 카드 해석 방법
5. 인터페이스 구축

위 과정은 처음에는 복잡하게 느껴질 수 있지만, 역시 걱정할 필요는 없다. 책에서 이미 검증된 프롬프트를 제공하므로, 그대로 복사해서 ChatGPT에 붙여넣기만 하면 원하는 결과를 얻을 수 있다.

CHAPTER 2에서는 ChatGPT를 사용하여 타로 카드를 뽑고, 그 카드를 해석하는 실전 방법을 다룹니다.

CHAPTER 2

바로 실전에 적용하기: "ChatGPT 타로 술사" 만들기

CHAPTER 2. 바로 실전에 적용하기: “ChatGPT 타로 술사” 만들기

STEP 1. ChatGPT로 타로 카드 뽑기

1. 타로 카드만 뽑는 명령어

위에서 설명한 “프롬프트”를 통해 ChatGPT로 타로 카드를 뽑을 수 있다. 일반적으로 타로 카드 세 장을 뽑아 달라고 요청하면 뒤죽박죽인 숫자체계의 카드 세 장을 뽑아 마음대로 해석해버린다. 또한 매번 같은 카드를 선택하는 경우도 있다.

즉, 체계적이지 않은 명령어를 사용하면 **일관성 없는 리딩**을 하게 된다.

타로 리딩의 모든 과정을 ChatGPT로 진행하고자 하는 사람은 크게 다음과 같은 과정을 거친다.

1. 타로 카드를 세 장 뽑는다.
2. 뽑은 카드를 바탕으로 리딩을 요청한다.

*위 과정의 모든 프롬프트는 QR코드와 네이버 카페를 통해 제공한다.

이렇게 하면 카드 뽑기와 해석 과정이 명확하게 나눠져 더 정확한 리딩이 가능하다.

다음은 타로 카드 세 장을 뽑아주는 명령어이다. 다음 내용 전체를 "(질문)" 만 바꿔 그대로 붙여 넣기 하면 된다.

QR코드에 문제가 생길 때를 대비하여 네이버 카페 "ChatGPT로 하루만에 타로 전문가 되기(https://cafe.naver.com/tarotchatgpt)"에 프롬프트 전부를 업로드해 놓았다.

저는 당신에게 타로 점을 보러 왔습니다. 실제 타로점을 본다고 생각하고 당신 앞에 제가 앉아 있습니다. 오른손잡이인 저는 왼손으로 당신이 펼친 78장의 카드 중에 "(질문)"을 생각하며 세 장의 카드를 뽑습니다. 카드를 뽑는 단계는 아래와 같습니다.
0과 77사이의 임의의 숫자를 선택하여 다음 형식으로 출력하세요: 카드 1: #[임의의 숫자] - ["참조"에서 임의의 숫자와 상응하는 타로 카드 이름을 출력하세요]
카드2: 카드 1의 과정을 카드 2의 이름으로 반복하세요 중복된 숫자를 뽑을 수 없습니다.
카드3: 1단계의 과정을 카드 3의 이름으로 반복하세요. 중복된 숫자를 뽑을 수 없습니다. 아직 해석을 하지 마시고 위의 형식으로 출력만 해주세요.
"참조": 0. The Fool 바보 ; 1. The Magician 마술사; 2. The High Priestess 여사제 ; 3. The Empress 여황제 ; 4. The Emperor 황제 ; 5. The Hierophant 교황 ; 6. The Lovers 연인 ; 7. The Chariot 전차 ; 8. Strength 힘; 9. The Hermit 은둔자 ; 10. Wheel of Fortune 운명의 수레바퀴; 11. Justice 정의; 12. The Hanged Man 매

달린 사람; 13. Death 죽음; 14. Temperance 절제; 15. The Devil 악마; 16. The Tower 탑; 17. The Star 별; 18. The Moon 달; 19. The Sun 태양; 20. Judgment 심판; 21. The World 세계; 22. Ace of Wands 막대기 에이스 ; 23. Two of Wands막대기 2번; 24. Three of Wands 막대기3번 ; 25. Four of Wands막대기 4번; 26. Five of Wands 막대기 5번 ; 27. Six of Wands 막대기 6번; 28. Seven of Wands 막대기 7번; 29. Eight of Wands 막대기 8번; 30. Nine of Wands 막대기 9번; 31. Ten of Wands 막대기 10번; 32. Page of Wands 막대기 소년; 33. Knight of Wands 막대기 기사; 34. Queen of Wands 막대기 여왕; 35. King of Wands 막대기 왕; 36. Ace of Cups 컵 에이스; 37. Two of Cups 컵 2번; 38. Three of Cups 컵 3번; 39. Four of Cups 컵 4번; 40. Five of Cups 컵 5번; 41. Six of Cups 컵 6번; 42. Seven of Cups 컵 7번; 43. Eight of Cups 컵 8번; 44. Nine of Cups 컵 9번; 45. Ten of Cups 컵 10번; 46. Page of Cups 컵 소년; 47. Knight of Cups 컵 기사; 48. Queen of Cups 컵 여왕; 49. King of Cups 컵 왕; 50. Ace of

Swords 검 에이스; 51. Two of Swords 검 2번; 52. Three of Swords 검 3번; 53. Four of Swords 검 4번; 54. Five of Swords 검 5번; 55. Six of Swords 검 6번; 56. Seven of Swords 검 7번; 57. Eight of Swords 검 8번; 58. Nine of Swords 검 9번; 59. Ten of Swords 검 10번; 60. Page of Swords 검 소년; 61. Knight of Swords 검 기사; 62. Queen of Swords 검 여왕; 63. King of Swords 검 왕; 64. Ace of Pentacles 펜타클 에이스; 65. Two of Pentacles 펜타클 2번; 66. Three of Pentacles 펜타클 3번; 67. Four of Pentacles 펜타클 4번; 68. Five of Pentacles 펜타클 5번; 69. Six of Pentacles 펜타클 6번; 70. Seven of Pentacles 펜타클 7번; 71. Eight of Pentacles 펜타클 8번; 72. Nine of Pentacles 펜타클 9번; 73. Ten of Pentacles 펜타클 10번; 74. Page of Pentacles 펜타클 소년; 75. Knight of Pentacles 펜타클 기사; 76. Queen of Pentacles 펜타클 여왕; 77. King of Pentacles 펜타클 왕

답변의 예시는 다음과 같다.

카드 1: #13 – Death 죽음
카드 2: #27 – Six of Wands 막대기 6번
카드 3: #44 – Nine of Cups 컵 9번

2. 이미지를 포함한 타로 카드 뽑기

ChatGPT를 이용하여 가장 많이 사용되는 스프레드인 세 장 뽑기(Three-Card Spread)를 구현할 수 있다. 다음 프롬프트를 입력하면 단순히 카드의 이름을 알려주는 것을 넘어서, 각 타로 카드의 이미지까지 출력된다. 이 기능을 통해 순서대로 카드가 표시되어, 실제 타로 리딩을 할 때 한 장 한 장을 차례로 뒤집는 것과 유사한 경험을 할 수 있다.

다음 내용 전체를 "(질문)" 만 바꿔 그대로 붙여 넣기 하면 된다.

QR코드에 문제가 생길 때를 대비하여 네이버 카페 "ChatGPT로 하루만에 타로 전문가 되기(https://cafe.naver.com/tarotchatgpt)"에 프롬프트 전부를 업로드해 놓았다.

저는 당신에게 타로 점을 보러 왔습니다. 카드를 뽑는 명령어는 아래와 같습니다.
다음의 순서로 진행합니다. $카드 이미지$는 ![{카드 이
름}](https://upload.wikimedia.org/wikipedia/commons/{카드 링크}.jpg)으로 표시할 수 있습니다.
이미지 표시를 위해서 마크다운 방식을 취했습니다. 코드블록을 사용하지 않습니다.
1. [참조]의 1번부터 78번 중에서 무작위로(중요) 3 장의 카드를 고릅니다.
2. 카드 이미지를 적절한 사이즈로 가로로 수평 마크다운 테이블에 출력합니다.
[폭=100px]
예시) |첫번째 $카드 이미지$|두번째 $카드 이미지$|세번째 $카드 이미지$|
[참조]
{카드 번호},{카드 이름},{카드 링크}
1. The Fool[url:9/90/RWS_Tarot_00_Fool]; 2. The Magician[url:d/de/RWS_Tarot_01_Magician]; 3. The

High Priestess[url:8/88/RWS_Tarot_02_High_Priestess]; 4. The Empress[url:d/d2/RWS_Tarot_03_Empress]; 5. The Emperor[url:c/c3/RWS_Tarot_04_Emperor]; 6. The Hierophant[url:8/8d/RWS_Tarot_05_Hierophant]; 7. The Lovers[url:3/3a/TheLovers]; 8. The Chariot[url:9/9b/RWS_Tarot_07_Chariot]; 9. Strength[url:f/f5/RWS_Tarot_08_Strength]; 10. The Hermit[url:4/4d/RWS_Tarot_09_Hermit]; 11. Wheel of Fortune[url:3/3c/RWS_Tarot_10_Wheel_of_Fortune]; 12. Justice[url:e/e0/RWS_Tarot_11_Justice]; 13. The Hanged Man[url:2/2b/RWS_Tarot_12_Hanged_Man]; 14. Death[url:d/d7/RWS_Tarot_13_Death]; 15. Temperance[url:f/f8/RWS_Tarot_14_Temperance]; 16. The Devil[url:5/55/RWS_Tarot_15_Devil]; 17. The Tower[url:5/53/RWS_Tarot_16_Tower]; 18. The Star[url:d/db/RWS_Tarot_17_Star]; 19. The Moon[url:7/7f/RWS_Tarot_18_Moon]; 20. The Sun[url:1/17/RWS_Tarot_19_Sun]; 21. Judgment[url:d/dd/RWS_Tarot_20_Judgement];

22. The World[url:f/ff/RWS_Tarot_21_World]; 23. Ace of Wands[url:1/11/Wands01]; 24. Two of Wands[url:0/0f/Wands02]; 25. Three of Wands[url:f/ff/Wands03]; 26. Four of Wands[url:a/a4/Wands04]; 27. Five of Wands[url:9/9d/Wands05]; 28. Six of Wands[url:3/3b/Wands06]; 29. Seven of Wands[url:e/e4/Wands07]; 30. Eight of Wands[url:6/6b/Wands08]; 31. Nine of Wands[url:/4/4d/Tarot_Nine_of_Wands]; 32. Ten of Wands[url:0/0b/Wands10]; 33. Page of Wands[url:6/6a/Wands11]; 34. Knight of Wands[url:1/16/Wands12]; 35. Queen of Wands[url:0/0d/Wands13]; 36. King of Wands[url:c/ce/Wands14]; 37. Ace of Cups[url:3/36/Cups01]; 38. Two of Cups[url:f/f8/Cups02]; 39. Three of Cups[url:7/7a/Cups03]; 40. Four of Cups[url:3/35/Cups04]; 41. Five of Cups[url:d/d7/Cups05]; 42. Six of Cups[url:1/17/Cups06]; 43. Seven of Cups[url:a/ae/Cups07]; 44. Eight of Cups[url:6/60/Cups08]; 45. Nine of Cups[url:2/24/Cups09]; 46. Ten of

Cups[url:8/84/Cups10]; 47. Page of Cups[url:a/ad/Cups11]; 48. Knight of Cups[url:f/fa/Cups12]; 49. Queen of Cups[url:6/62/Cups13]; 50. King of Cups[url:0/04/Cups14]; 51. Ace of Swords[url:1/1a/Swords01]; 52. Two of Swords[url:9/9e/Swords02]; 53. Three of Swords[url:0/02/Swords03]; 54. Four of Swords[url:b/bf/Swords04]; 55. Five of Swords[url:2/23/Swords05]; 56. Six of Swords[url:2/29/Swords06]; 57. Seven of Swords[url:3/34/Swords07]; 58. Eight of Swords[url:a/a7/Swords08]; 59. Nine of Swords[url:2/2f/Swords09]; 60. Ten of Swords[url:d/d4/Swords10]; 61. Page of Swords[url:4/4c/Swords11]; 62. Knight of Swords[url:b/b0/Swords12]; 63. Queen of Swords[url:d/d4/Swords13]; 64. King of Swords[url:3/33/Swords14]; 65. Ace of Pentacles[url:f/fd/Pents01]; 66. Two of Pentacles[url:9/9f/Pents02]; 67. Three of Pentacles[url:4/42/Pents03]; 68. Four of Pentacles[url:3/35/Pents04]; 69. Five of Pentacles[url:9/96/Pents05];

70. Six of Pentacles[url:a/a6/Pents06]; 71. Seven of Pentacles[url:6/6a/Pents07]; 72. Eight of Penta cles[url:4/49/Pents08]; 73. Nine of Pentacles[url:f/f0/Pents09]; 74. Ten of Pentacles[url:4/42/Pents1 0]; 75. Page of Pentacles[url:e/ec/Pents11]; 76. K night of Pentacles[url:d/d5/Pents12]; 77. Queen of Pentacles[url:8/88/Pents13]; 78. King of Pentacle s[url:1/1c/Pents14]

[참조]: 끝. 이미지 출력 후에 해석을 하지 않고 그대로 답변을 마칩니다.

다음은 답변의 예시이다. 만약 작동하지 않을 시 "Regenerate Response" (" ") 버튼을 누르거나 같은 내용을 한 번 더 질문하면 된다.

좋습니다! 무작위로 3장의 카드를 선택한 결과는 다음과 같습니다:

1. **12번: Justice**
2. **43번: Seven of Cups**
3. **65번: Ace of Pentacles**

아래는 각 카드의 이미지입니다.

Step 2. ChatGPT로 뽑은 카드 해석하기

타로 카드를 뽑았다면, 이제 그 카드를 해석하기 위해 적절한 프롬프트를 입력해야 한다. 앞서 언급했듯이, 프롬프트를 **역할을 명확하게 부여하고, 변수를 통제하여, 구체적으로, 모호함 없이 작성하여 지시할수록** 더욱 정확한 답변을 얻을 수 있다.

구체적으로는 다음의 요소들을 고려해야 한다:

1. **역할 설정**

인공지능에게 특정 역할을 부여하는 것이 중요하다. 예를 들어, "타로 술사로서"라고 시작하는 프롬프트는 인공지능이 타로 리더의 역할을 맡도록 설정한다. 이렇게 함으로써, ChatGPT는 관련된 정보와 지식에 기반한 해석을 제공할 준비를 한다.

2. **세부사항 명시**

질문하는 사람의 상황, 타로 카드를 뽑은 목적, 구체적인 질문 등을 포함해 구체적인 정보를 제공해야 한다. "나는 30대 직장인이다. 최근 직장 내 갈등으로 고민이 많다.

3장의 카드를 뽑았고, 이들의 의미를 알고 싶다."와 같이 명확한 맥락을 설정하는 것이 좋다.

3. 명확한 지시와 제한

프롬프트에서 불필요한 변수를 최소화하고, ChatGPT가 고려해야 할 특정 요소들을 명확히 제시해야 한다. 예를 들어, "현재 직장 내 갈등을 중심으로 카드를 해석해라."와 같은 문구를 포함하면, ChatGPT가 답변을 더욱 집중적으로 제공한다.

4. 포맷 설정

원하는 답변의 형식이나 길이, 표현 방식을 구체적으로 지시하는 것도 중요하다. "간략한 문단 형식으로, 각 카드의 의미와 조언을 포함하여 설명해라."와 같은 지시를 추가하면 더욱 체계적인 답변을 얻을 수 있다.

이러한 접근법을 통해, 인공지능을 활용한 타로 리딩의 정확도와 유용성을 극대화할 수 있을 것이다.

다음 페이지는 타로 카드 해석 프롬프트 작성의 기본 형식과 예시이다.

기본 프롬프트는 사용자 입맛에 맞게 수정해도 된다. 대답하다가 끊겼다면 "계속하세요"로 완전한 대답을 들을 수 있다.

QR코드에 문제가 생길 때를 대비하여 네이버 카페 "ChatGPT로 하루만에 타로 전문가 되기(https://cafe.naver.com/tarotchatgpt)"에 프롬프트 전부를 업로드해 놓았다.

> 나는 당신에게 타로 카드 점을 보러 왔습니다. 당신은 나의 정보, 상황, 질문을 종합하여 카드 리딩을 하고 나에게 해설과 해결책을 제시해야 하는 업무를 하고 있습니다. 정보: (정보-내담자의 나이와 직업 등등의 아이덴티티). 상황: (상황). 질문: (질문). 당신이 앞에 펼친 78장의 타로 카드 중에서, 오른손잡이인 나는 왼손으로 "(카드1 이름)","(카드2 이름)","(카드3 이름)"을 순서대로 뽑았습니다. 각각의 카드는 순서대로 과거, 현재, 미래, 또는 원인, 문제점, 결과를 상징합니다. 제 상황과 카드를 종합하여 가장 자연스럽게 각 카드를 간단하게 해석해주세요. 맨 마지막에는 모든 내용을 종합하여 어떻게 행동하는 것이 나에게 도움이 되는 건지 말해주시고, 이를 바탕으로 예측되는 미래를 말해주세요.

일반적으로 단순히 "타로 리딩을 해달라"라고 하면 ChatGPT는 구체적인 맥락 없이 질문을 해석하기 때문에, 상황을 전혀 고려하지 않거나 윤리 정책으로 인해 지나치게 중립적이고 모호한 대답을 하게 된다. 이로 인해 원하는 대답을 얻기 어려울 수 있다.

여러 테스트를 거친 결과, 프롬프트의 마지막에 **"예측되는 미래"** 라는 단어를 추가하는 것이 실제 타로 리딩과 가장 가까운 결과를 도출하는 데 효과적임을 발견했다. 이는 실제 타로 리딩에서 내담자가 가장 궁금해하는 질문을 구체적으로 물어봤기 때문이다. 위와 같은 표현을 사용하면, ChatGPT가 보다 명확하고 구체적인 예측을 제시해, 실제와 가까운 결과를 얻을 수 있다.

다음 페이지는 이러한 기법을 적용했을 때의 실제 답변 화면 예시이다. 이를 통해 효과적인 프롬프트 작성이 해석 결과에 어떤 영향을 미치는지 확인할 수 있다.

타로 카드를 통해 당신의 현재 상황과 질문에 대한 통찰을 제공하겠습니다. 선택된 카드는 각각 다음과 같은 의미를 가집니다:

1. **The Lovers** (과거/원인): 이 카드는 사랑과 관계의 중요성을 강조합니다. 과거에 당신이 깊은 감정을 경험했거나, 사랑에 대한 강한 갈망을 가지고 있었던 상황을 나타낼 수 있습니다. 이 카드는 당신이 과거의 사랑에 대한 기억이나 경험이 현재의 외로움에 영향을 미치고 있음을 시사합니다.
2. **The Devil** (현재/문제점): 현재 카드로 나타난 'The Devil'은 종종 유혹, 집착, 부정적인 패턴을 의미합니다. 당신이 현재 겪고 있는 외로움이 과도한 자기 비판이나 집착에서 비롯될 수 있습니다. 또한, 이 카드는 부정적인 생각이나 감정이 당신의 현재 상황에 영향을 미치고 있음을 나타낼 수 있습니다.
3. **Four of Wands** (미래/결과): 'Four of Wands'는 안정성과 성취를 상징하는 카드로, 앞으로 긍정적인 변화가 있을 것임을 나타냅니다. 이는 당신의 사회적 네트워크가 확장되거나 새로운 인연을 만날 가능성이 있음을 의미합니다. 특히, 미래에 소속감이나 안정감을 느낄 수 있는 새로운 관계가 생길 수 있음을 예고합니다.

종합 해석과 조언

현재 당신의 외로움과 관련된 문제는 과거의 사랑에 대한 기억과 현재의 부정적인 감정이 영향을 미치고 있을 가능성이 큽니다. 이런 감정들은 종종 사람과의 관계를 부정적으로 바라보게 만들 수 있으며, 이로 인해 새로운 관계를 시작하는 데 방해가 될 수 있습니다.

행동 조언:

1. **자기 반성:** 과거의 사랑과 관계에 대한 감정이나 기억을 정리하고, 현재의 부정적인 감정에서 벗어나도록 노력하세요. 긍정적인 자기 대화와 자기 관리를 통해 현재의 감정을 개선하는 것이 중요합니다.
2. **사회적 네트워크 확장:** 새로운 사람들과의 만남을 늘리려는 노력이 필요합니다. 사회적 활동이나 관심사에 참여함으로써 자연스럽게 새로운 인연을 만들 수 있습니다.
3. **긍정적인 태도 유지:** 긍정적인 마음가짐을 유지하고, 자신에게 긍정적인 변화를 가져올 수 있는 행동을 취하세요. 이는 당신이 새로운 사람을 만나는데 도움이 될 것입니다.

예측되는 미래

당신이 현재의 부정적인 감정을 극복하고 긍정적인 행동을 취한다면, 가까운 미래에 안정적이고 만족스러운 관계를 형성할 수 있는 기회가 생길 것입니다. 새로운 인연이 당신의 사회적 네트워크를 확장시키고, 소속감과 행복감을 느끼게 할 가능성이 큽니다.

즉, 변화와 성장을 통해 새로운 사랑을 맞이할 수 있는 좋은 기회가 열릴 것입니다.

CHAPTER 3에서는 "ChatGPT 타로 술사"의 심화 방법으로, 프롬프트 구조 분석과 다양한 스프레드 및 상황별 활용법을 소개해 정교한 타로 리딩을 돕습니다.

CHAPTER 3

"ChatGPT 타로 술사" 심화하기

CHAPTER 3. "ChatGPT 타로 술사" 심화하기

STEP 1. 프롬프트 작동 구조 심층적으로 파헤치기

앞서 배운 기본 프롬프트의 원리를 바탕으로, ChatGPT를 사용자의 필요에 맞게 변형하고 응용하여 타로 리딩을 개인화하고 최적화할 수 있다. 이를 위해 프롬프트 작동 구조를 심층적으로 이해해야 한다.

다음 페이지의 구조도를 통해 ChatGPT와 타로 리딩 간의 작동 원리를 시각적으로 이해할 수 있다.

- 카드 뽑기의 프롬프트 구조도:

역할 부여하기, 질문, 지시하기

{카드 출력하는 형식} 지정하기

{출력 형식}의 참조 제공하기

- 카드 해석 프롬프트 구조도

역할 부여하기, 행동 지시하기

정보, 상황, 질문 부여하기하기

상담 방식 알려주기하기

위와 같이 프롬프트의 작동 구조는 생각보다 간단하다. 이 두 프롬프트를 종합하고 응용하면, 카드를 뽑고 이미지를 출력하는 동시에 사용자가 **원하는 스타일**로 상담을 진행할 수 있다. 구체적인 구조도의 예시는 아래 그림에서 확인할 수 있다.

역할 부여하기, 행동 지시하기

{카드 출력하는 형식} 지정하기

{출력 형식}의 참조 제공하기

정보, 상황, 질문 부여하기

나만의 상담방식 설정하기

변수 통제 및 수정하기

위 구조도의 핵심 요소를 정리해보면 다음과 같다.

1. **역할 부여와 행동 지시하기**: ChatGPT가 타로 리딩의 역할을 정확히 인식하도록 한다. 또한, 답변의 기준을 설정하여 타로 리딩에 필요한 요소들을 명시한다. 이를 통해, 답변에 반드시 포함되어야 하는 내용을 확보할 수 있다.

2. **카드 출력 형식 지정하기**: 프롬프트 내에서 카트 출력 형식을 명확히 설정한다. 이는 ChatGPT가 임의의 카드를 생성하지 않고, 실제 타로 카드 덱에 있는 카드로만 리딩을 수행하도록 제한하는 과정이다.

3. **{카드 출력 형식}의 참조 제공하기**: 78장의 타로 카드 덱에서 무작위로 선택하게 하거나 이미지를 출력하는 형식을 지정한다. 이를 통해 ChatGPT가 허구의 카드 리딩 상황이 아니라 실제 타로 리딩 상황과 일치하도록 유도한다.

4. **정보, 상황 질문 제공**: 실제 타로 리딩의 환경과 유사한 상황을 설정한다. 예를 들어, "내담자는 30대 중반의 남성으로, 최근 결혼 문제로 고민 중이다. 여자친구와의 관계에 대한 미래를 알고 싶어 한다."와 같은 구체적인 정보를 제공하여 더 몰입감 있는 리딩을 유도한다.

*프롬프트의 특성상 이 부분이 필수적이지는 않지만, 실제 타로 술사가 리딩을 할 때 내담자에게서 느끼는 여러 가지 정보들(예: 나이, 성별, 현재 상황, 감정 상태 등)이 리딩에 영향을 미치는 것과 유사한 효과를 얻기 위해 최대한 구체적인 정보를 제공하는 것이 좋다고 판단했다.

5. **나만의 상담방식 설정하기**: 타로 술사마다 리딩방식, 상담방식이 다르다. 사용자는 자신에게 맞는 스타일을 지정할 수 있다. 예를 들어, "카드 내용을 종합하여 미래에 대한 조언을 주고, 심리적 위안을 제공하라."와 같은 지시를 추가함으로써 ChatGPT가 더욱 맞춤형 답변을 생성하게 할 수 있다.

6. **변수 통제 및 수정하기**: 만약 답변이 기대에 미치지 못한다면, 추가 지시를 통해 원하는 답변으로 수정할 수 있다. 예를 들어, "타로 카드 해석에 맞게 위로가 되는 말을 포함해 달라"와 같은 요청을 통해, 답변의 방향을 조정하고 보다 심도 있는 리딩을 구현할 수 있다.

위와 같이 ChatGPT를 타로 리딩에 본격적으로 활용할 때는, 단순히 프롬프트를 작성하는 것 이상의 전략이 필요하다. 적절한 역할 부여와 구체적인 지시, 개인 맞춤형 상담 방식을 통해 ChatGPT의 답변을 보다 실감 나고 정확하게 만들 수 있다. 이러한 기법들을 잘 활용하면, 보다 깊이 있는 타로 리딩을 구현하고, 다양한 상황에 맞는 유연한 해석이 가능하다.

STEP 2. 다양한 스프레드를 적용하기

이제 ChatGPT를 이용하는 "세 장 뽑기"에 익숙해졌다면 다른 스프레드도 시도해볼 차례다. 앞에서 이해한 프롬프트 작동 원리를 바탕으로 몇 가지 간단한 수정만 하면 원하는 어떤 스프레드든 손쉽게 적용할 수 있다. 다음 페이지에서 "10 장 뽑기", 즉 켈틱 크로스(Celtic Cross) 스프레드에 대한 명령어 예시를 소개한다.

QR코드에 문제가 생길 때를 대비하여 네이버 카페 "ChatGPT로 하루만에 타로 전문가 되기 (https://cafe.naver.com/tarotchatgpt)"에 프롬프트 전부를 업로드해 놓았다.

나는 당신에게 타로 카드 점을 보러 왔습니다. 당신은 나의 정보, 상황, 질문을 종합하여 카드 리딩을 하고 나에게 해설과 해결책을 제시해야 하는 업무를 하고 있습니다. 정보: (정보-내담자의 나이와 직업 등등의 아이덴티티). 상황: (상황). 질문: (질문). 카드 리딩을 할 때 10장을 뽑는 켈틱 크로스 배열법을 사용합니다. 당신이 앞에 펼친 78장의 타로 카드 중에서, 오른손잡이인 나는 왼손으로 "(카드1 이름)","(카드2 이름)","(카드3 이름)"," (카드4 이름)"," (카드5 이름)"," (카드6 이름)"," (카드7 이름)"," (카드8 이름)"," (카드 9 이름)"," (카드10 이름)"을 순서대로 뽑았습니다. 우선, 제 상황과 카드를 종합하여 가장 자연스럽게 각 카드를 한 줄로 간단하게 해석해주세요. 그 다음, 각각의 카드는 처음 뽑은 카드부터 순서대로 1. 현재 상황, 2. 장애물, 3. 잠재의식, 4. 과거, 5. 과거의 영향력, 6. 가까운 미래, 7. 자기가 보는 자신, 8. 타인이 보는 자신, 9. 마음가짐, 10. 최종 결과를 나타냅니다. 이 10가지 요소를 잘 고려하여 자연스럽고 매끄러운 스토리로 풀

어내 주세요. 맨 마지막에는 모든 내용을 종합하여 어떻게 행동하는 것이 나에게 도움이 되는 건지 말해주시고, 이를 바탕으로 예측되는 미래를 말해주세요.

각 카드 배열이 상징하는 의미는 상담자의 취향이나 특정 상황에 맞게 유연하게 조정할 수 있다. 예를 들어 3번 카드의 "잠재의식" 대신에 "욕망"을, 4번 카드에 "현재 상황에 대한 최근 상황", 5번 카드에 "발전 가능성", 8번 카드에 "주변의 도움", 9번 카드에 "궁극적 해결책" 등으로 조정할 수 있다.

다음 페이지에서는 이러한 맞춤형 설정을 적용한 명령어의 적용 예시를 보여준다. 예시는 30대 직장인이 결혼 고민에 대한 고민을 상담하는 상황이다.

간단한 해석

1. **Nine of Cups**: 만족과 성취
2. **Page of Swords**: 호기심과 분석력
3. **The Moon**: 혼란과 불확실성
4. **Eight of Swords**: 자기 제한
5. **The Sun**: 밝음과 긍정성
6. **Two of Swords**: 결정을 내려야 하는 상황
7. **Four of Wands**: 축하와 안정
8. **The Magician**: 능력과 자원
9. **Judgment**: 재평가와 부활
10. **Five of Cups**: 후회와 상실감

켈틱 크로스 배열법 해석

1. 현재 상황 (Nine of Cups)

현재 당신은 개인적인 만족감과 성취를 느끼고 있습니다. 직장에서의 성과나 개인적인 삶에서 어느 정도의 행복을 느끼고 있습니다.

2. 장애물 (Page of Swords)

장애물로는 과도한 분석력과 호기심이 걸림돌이 될 수 있습니다. 집안에서 반대하는 결혼에 대해 지나치게 분석하거나 너무 많은 정보를 수집하려는 경향이 문제를 복잡하게 만들 수 있습니다.

3. 잠재의식 (The Moon)

잠재의식 속에는 혼란과 불확실성이 자리하고 있습니다. 결혼에 대한 두려움이나 집안의 반대에 따른 불안감이 잠재의식 속에서 계속 작용하고 있습니다.

4. 과거 (Eight of Swords)

과거에는 스스로를 제한하는 상태에 있었습니다. 집안의 반대나 외부의 압력 때문에 자유롭게 선택하지 못하고 갇힌 느낌을 받았을 가능성이 큽니다.

5. 과거의 영향력 (The Sun)

과거의 긍정적인 영향력은 밝고 긍정적인 에너지입니다. 당신과 배우자 사이의 좋은 관계나 긍정적인 경험이 현재 상황에 영향을 미치고 있습니다.

6. 가까운 미래 (Two of Swords)

가까운 미래에는 중요한 결정을 내려야 하는 상황이 올 것입니다. 결혼을 강행할지, 아니면 집안의 의견을 따를지에 대한 결단의 순간이 다가옵니다.

7. 자기가 보는 자신 (Four of Wands)

스스로는 안정과 축하를 기대하고 있습니다. 결혼을 통해 행복과 안정된 가정을 꾸리고 싶어 합니다.

8. 타인이 보는 자신 (The Magician)

타인들은 당신을 능력 있고 자원이 풍부한 사람으로 보고 있습니다. 문제를 해결할 능력이 있다고 믿고 있습니다.

9. 마음가짐 (Judgment)

당신의 마음가짐은 재평가와 부활에 있습니다. 결혼과 관련된 모든 상황을 다시 한 번 평가하고, 새로운 출발을 할 준비가 되어 있습니다.

10. 최종 결과 (Five of Cups)

최종 결과는 후회와 상실감이 될 수 있습니다. 결혼을 강행하더라도 집안의 반대와 이에 따른 갈등이 지속될 가능성이 있습니다.

종합 해석 및 행동 조언

현재 당신은 직장에서의 성취와 개인적인 만족을 느끼고 있지만, 집안에서 반대하는 결혼에 대해 고민이 많습니다. 과도한 분석과 정보 수집이 오히려 문제를 복잡하게 만들고 있으며, 잠재의식 속에서는 불안과 혼란이 자리하고 있습니다. 과거에는 집안의 압력 때문에 자유롭게 선택하지 못한 경험이 있으며, 현재와 미래에는 중요한 결정을 내려야 할 시점이 다가오고 있습니다.

스스로는 결혼을 통해 안정과 행복을 기대하고 있지만, 타인들은 당신이 문제를 해결할 능력이 있다고 믿고 있습니다. 결혼에 대한 모든 상황을 재평가하고 새로운 출발을 할 준비가 되어 있는 상태입니다. 그러나 최종 결과는 후회와 상실감을 가져올 가능성이 있으므로 신중하게 결정해야 합니다.

행동 조언 및 예측되는 미래

결혼을 강행하기 전에 집안과의 갈등을 해결할 방안을 모색하는 것이 중요합니다. 열린 대화를 통해 상호 이해를 증진시키고, 집안의 반대 이유를 진지하게 고려해보세요. 만약 결혼을 강행하기로 결정한다면, 집안의 반대와 이에 따른 갈등을 감수할 준비가 되어 있어야 합니다.

미래를 예측해보면, 결혼을 통해 행복과 안정된 가정을 꾸릴 가능성이 있지만, 집안의 반대와 갈등으로 인해 후회와 상실감도 있을 수 있습니다. 결혼을 결정하기 전에 모든 상황을 신중하게 재평가하고, 가능한 모든 방안을 고려하는 것이 중요합니다.

STEP 3. 다양한 상황에서 활용하기

타로 리딩을 진행하다 보면, 때로는 다소 엉뚱하거나 곤란한 질문을 던지는 내담자들을 만나게 된다. 예를 들어, "가방을 사려고 하는데 어떤 색을 사야 할지 타로로 결정해 달라"는 요청을 받은 적이 있다. 이러한 상황에서 전통적인 타로 술사는 적잖이 당황할 것이다

하지만, ChatGPT는 언어 생성과 답변 제공에 최적화된 인공지능 모델로, 윤리적 문제만 없다면 어떠한 질문에 대해서도 언어를 생성하도록 설계되어 있다. 이러한 특성 때문에 실제 타로 술사라면 당혹스러울 만한 질문이라도, ChatGPT는 어떤 식으로든 답변을 시도할 것이다.

이를 확인하기 위해 앞에서 다룬 프롬프트를 사용하여 ChatGPT에게 곤란하거나 엉뚱한 질문을 던져보자. 실제 타로 술사라면 답변하기 어려울 법한 질문들이 인공지능에게 어떻게 해석되고 답변되는지 살펴보는 것도 흥미로운 경험이 될 것이다. 이 실험을 통해, ChatGPT가 어떻게 질문의 맥락을 파악하고, 어떤 방식으로 대답을 구성하는지 알 수 있을 것이다. 또한 이를 통해, 타로 리딩의 효과를 극대화하

기 위한 프롬프트의 적절한 사용 방법도 발견할 수 있을 것이다. 아래는 예시 답변 화면이다.

카드 뽑기:

1. **The Sun**
2. **The Hierophant**
3. **The World**

카드 해석과 치팅데이 메뉴 추천:

1. **The Sun (태양)**:
    - **의미**: 행복, 즐거움, 활력.
    - **추천 메뉴**: 행복감을 주는 음식, 햇볕처럼 밝고 즐거운 음식. 피자나 햄버거와 같은 기분을 좋게 해주는 음식을 추천합니다.
2. **The Hierophant (교황)**:
    - **의미**: 전통, 규율, 사회적 규범.
    - **추천 메뉴**: 전통적이고 클래식한 음식. 파스타나 스테이크 같은 클래식한 메뉴가 적합합니다.
3. **The World (세계)**:
    - **의미**: 성취, 완성, 즐거움.
    - **추천 메뉴**: 여러 가지 음식을 조금씩 맛볼 수 있는 다양한 메뉴. 뷔페 스타일의 식사나 다양한 작은 요리를 즐기는 것을 추천합니다.

종합 메뉴 추천:

메뉴: 피자와 파스타를 곁들인 다양한 디저트.

- **메인 요리**: 피자 (토핑은 원하는 대로 선택)와 크림 파스타 또는 볼로네즈 파스타.
- **디저트**: 아이스크림, 초콜릿 케이크, 쿠키 등 다양한 디저트를 조금씩 즐길 수 있는 구성.

이 메뉴는 치팅데이의 기쁨을 최대한으로 누릴 수 있도록 행복감을 주고, 다양한 음식을 맛볼 수 있는 선택입니다. 평소 다이어트 식단에서 벗어나 마음껏 즐기면서 스트레스를 해소하고, 다시 다이어트에 전념할 수 있는 동기부여를 제공할 것입니다.

다이어트 중인 사람이 치팅데이에 무엇을 먹으면 좋을지 타로 카드로 추천해 달라고 요청한 것이다. 이에 대해 피자와 파스타를 추천하며, 다소 그럴듯한 답변을 내놓았다.

이제 좀 더 난해하고 곤란한 질문을 던져, ChatGPT가 어떤 반응을 보이는지 알아보았다. 예를 들어, 한국사 시험을 앞두고 있는 사람이 "몇 번으로 찍는 것이 좋을까?"와 같은 질문을 해보는 것이다. 이러한 실험을 통해 인공지능이 어떤 방식으로 맥락을 이해하고, 그 답변이 얼마나 일관성 있고 의미 있는지 파악해 볼 수 있을 것이다.

타로 카드를 통해 시험 문제의 답을 결정하기 위해, 1부터 5까지의 숫자 중 하나를 선택하도록 카드를 뽑겠습니다. 각 숫자는 특정 카드에 의해 상징화되어 있으며, 카드가 나타내는 의미를 통해 어느 답변이 가장 적합한지를 알려드리겠습니다.

카드 뽑기:

1. **The Star (별)**
2. **The Fool (광대)**
3. **The Magician (마법사)**
4. **The High Priestess (여제)**
5. **The Empress (여왕)**

카드 해석과 답변:

1. **The Star (별)**:
    - 의미: 희망, 영감, 긍정적인 전망.
    - **추천 번호**: 1번
2. **The Fool (광대)**:
    - 의미: 새로운 시작, 모험, 순수함.
    - **추천 번호**: 2번
3. **The Magician (마법사)**:
    - 의미: 능력, 자원 활용, 창의성.
    - **추천 번호**: 3번
4. **The High Priestess (여제)**:
    - 의미: 직관, 비밀, 내면의 지혜.
    - **추천 번호**: 4번
5. **The Empress (여왕)**:
    - 의미: 풍요, 창조성, 자연.
    - **추천 번호**: 5번

추천 답변

카드: **The Magician (마법사)**
추천 번호: **3번**

해설: 'The Magician' 카드는 자원을 효과적으로 활용하고 창의적인 접근을 통해 문제를 해결하는 능력을 상징합니다. 시험에서 성공적인 결과를 얻기 위해서는 자신의 지식과 자원을 잘 활용하는 것이 중요하다는 의미입니다. 따라서 **3번**을 선택하는 것이 좋습니다.

한국사 시험을 앞둔 한 10대 학생이 "1, 2, 3, 4, 5번 중 어떤 번호를 선택하는 것이 가장 유리할지" 묻자, ChatGPT는 타로 카드 5장을 뽑아 "3번을 선택하라"고 제안했다. 실제 타로 술사라면 이러한 질문에 대해 명확하게 답변하기 어려울 텐데, ChatGPT는 의외로 그럴듯하고 나름 설득력 있는 답변을 내놓은 것이다.

정리하자면, 앞서 배운 프롬프트 설정과 응용 방법을 잘 활용하면 어떠한 질문이 주어지더라도 당황하지 않고, 질문자가 기대하는 답변을 유도할 수 있다. 결국, 상황에 맞는 프롬프트의 사용과 미세한 조정은 AI가 얼마나 실질적인 조언을 제공할 수 있는지를 결정짓는 중요한 요소가 된다.

CHAPTER 4에서는 ChatGPT 타로 리딩을
활용해 수익을 창출하는 방법을 제시합니다.

CHAPTER 4

수익화 하기

CHAPTER 4. 수익화 하기 - 컴퓨터/스마트폰만 있으면 타로 카드로 부업 가능?!

STEP 1. 온라인 타로 리딩

가장 추천하는 플랫폼은 **"카카오톡 오픈채팅"** 이다. 실제로 수요가 많고, 시작하기가 간편하며 무자본으로도 누구나 운영할 수 있다. 오픈채팅방을 처음 개설하면 2~3주 동안은 상위에 노출되기 때문에 초기 홍보에 크게 부담을 느끼지 않아도 된다. 다만, 이목을 끄는 문구와 매력적인 소개는 필수적이다.

예를 들어, ChatGPT가 어떤 곤란한 질문에도 답변할 수 있는 특성을 살려 "곤란하고 사소한 문제도 해결해주는 타로 카드 리딩방"과 같은 특색 있는 채팅방을 생성할 수 있다. 또한 프롬프트의 다양성과 응용성을 활용해 10장 이상의 나만의 배열법으로 심도 있는 타로 심리 상담 역시 가능하다.

처음부터 고객 유치가 힘든 경우에는, 몇 번 정도는 무료 리딩을 진행하는 것도 전략이 될 수 있다. 맛보기 리딩을 해보고 나서, 다른 질문에 대해서는 유료로 진행하거나, 이를 통해 다른 고객 유입을 기대할 수도 있기 때문이다.

가격은 천차만별이지만 리딩당 10000-30000 원 정도가 평균인 듯하다. 소요시간을 기준으로 가격을 설정해도 된다. 인터넷에서 가격을 조사하고 고객의 반응과 피드백을 반영하여 가격 설정을 하면 된다.

카카오톡 오픈채팅만이 유일한 온라인 수익화 방법은 아니다. 다양한 플랫폼에서 나의 재능을 팔 수 있다. "크몽"이나 "숨고" 등에서도 타로 리딩을 하는 사람들이 많고, 자신의 블로그나 SNS에서도 해 볼 수 있다.

또한, 초기에는 먼저 지인을 상대로 테스트해보는 것도 좋은 방법이다. 점을 볼 때 복채를 주지 않으면 복이 달아난다는 속설처럼, 단돈 천원이라도 받는 습관을 들이는 것이 좋다. 무료로 계속 요구하는 것을 방지할 수 있기 때문이다.

타로 리딩을 통한 수익화는 꾸준한 고객 관리와 자신만의 독특한 리딩 스타일을 구축하는 데 달려 있다. 고객의 신뢰를 얻고, 지속 가능한 수익을 창출하기 위해선, 끊임없는 연구와 개선이 필요하다.

STEP 2. 웹사이트 창설

요즘은 "아임웹"과 같은 플랫폼을 통해 비교적 저렴한 가격으로 손쉽게 웹사이트를 구축할 수 있다. 이러한 웹사이트는 단순한 홍보 수단을 넘어 카카오톡 리딩을 효과적으로 알리고, 사용자가 사이트를 방문해 즉시 상담을 받을 수 있는 채팅 기능까지 제공하는 다목적 도구로 활용될 수 있다.

웹사이트를 창설하면 브랜드 신뢰도를 높일 수 있으며, 고객에게 전문적이고 신뢰할 만한 이미지를 심어줄 수 있다. 특히 웹사이트에는 나만의 철학, 리딩 방식, 상담 사례 등을 자세히 소개하여 타로 리딩의 차별화된 강점을 강조할 수 있다. 예를 들어, "나만의 타로 해석법", "타로 리딩으로 경험한 고객 후기", "자주 묻는 질문" 등을 카테고리로 나누어 배치하면 더욱 효과적이다.

또한, 웹사이트에서는 예약 시스템을 통해 고객이 원하는 시간에 상담을 예약할 수 있도록 하거나, 결제 시스템을 도입해 더 간편하게 비용을 지불할 수 있도록 지원할 수 있다. 이렇게 하면 고객이 더 쉽게 접근하고 서비스를 이용할 수 있어 상담 전환율을 높이는 데 도움이 된다.

하지만 단순히 웹사이트를 개설하는 것만으로는 충분하지 않다. 웹사이트도 지속적인 홍보가 필요하다. 검색엔진 최적화(SEO)를 통해 웹사이트가 검색 결과 상위에 노출되도록 관리해야 하며, 이를 위해 블로그 콘텐츠나 SNS 마케팅을 적극 활용할 필요가 있다. 예를 들어, 블로그에서는 타로 리딩에 대한 흥미로운 이야기나 사례를 정기적으로 업데이트하고, 이를 페이스북, 인스타그램, 트위터 등 SNS와 연동하여 웹사이트로의 유입을 유도할 수 있다.

또한, 뉴스레터 구독 기능을 추가하여 정기적으로 타로 관련 정보를 발송하고, 이를 통해 고객과의 지속적인 관계를 유지하는 것도 좋은 방법이다. 이는 고객이 웹사이트를 방문할 때마다 새로운 콘텐츠를 발견하게 하고, 다시 방문할 이유를 제공하게 된다. 웹사이트에서 제공할 수 있는 다양한 무료 리소스(예: 타로 카드에 대한 기본 지식, 리딩의 기초 등)도 좋은 유입 전략이 될 수 있다.

웹사이트 운영 초기에는 방문자 수가 많지 않을 수 있으므로, 지속적인 모니터링과 개선이 중요하다. 웹사이트 분석

도구를 사용해 어떤 페이지가 인기가 있는지, 어떤 경로를 통해 고객이 웹사이트에 유입되는지 파악하고, 이를 바탕으로 콘텐츠와 구조를 꾸준히 개선해야 한다.

웹사이트는 단순히 정보를 전달하는 수단을 넘어, 고객과의 상호작용을 극대화하고, 타로 리딩 서비스를 지속적으로 성장시킬 수 있는 핵심 채널이다. 웹사이트와 SNS, 블로그의 통합된 마케팅 전략을 활용해 나만의 타로 리딩 비즈니스를 효과적으로 발전시켜 나가길 권한다.

STEP 3. 나만의 브랜딩 하기

앞에서 배운 기술들로 더 큰 수익을 내고 싶다면 브랜딩은 필수적이다. 단순히 타로 리딩을 잘하는 것만으로는 충분하지 않다. 자신만의 독특한 색깔과 무기를 갖추는 것이 중요하다. 실제로 온라인상에서 타로 리딩을 제공하는 사람들은 많지만, 성공하기 위해서는 고객의 Niche(틈새시장) 니즈를 정확히 파악하고 이에 맞는 전략을 세워야 한다. 이를 통해 자신만의 고유한 스타일과 강점을 부각시킬 수 있다.

특히, 최근 ChatGPT와 같은 인공지능 기술을 활용한 타로 리딩이 주목받고 있는 지금이야말로 차별화할 수 있는 좋은 기회다. 다양한 인공지능을 동시에 활용하는 것도 한 가지 방안이 될 수 있다. 예를 들어, AI 이미지 생성 기술을 이용해 독창적인 타로 덱을 디자인하고, 이를 상품화하여 판매하는 방법도 있다. 특히 라이더 웨이트 타로 기반의 2차 창작물은 상업적 이용이 가능하므로, 이를 활용해 자신만의 개성을 담은 타로 카드를 제작하고 온라인 스토어나 플랫폼에서 판매할 수 있다.

또한, 부가적인 콘텐츠를 제공하는 것도 효과적이다. 예를 들어, 자신이 만든 타로 카드에 대한 해설이나 의미를 블로그나 유튜브 등 다양한 채널에서 공유하고, 이를 통해 브랜드 인지도를 높일 수 있다. 타로 관련 전자책을 출간하거나, 온라인 강좌를 개설해 더 많은 고객을 끌어들이는 것도 좋은 전략이다. 이와 같은 활동은 단순히 리딩 서비스를 넘어, 더 다양한 수익 모델을 창출하는 길이 된다.

결국 핵심은, 인터넷 상에서 자신만의 입지를 확고히 다지는 것이다. 처음부터 큰 성과를 기대하기보다는, 기초를 다지며 차근차근 성장하는 것이 중요하다. 우선 ChatGPT를 활용한 타로 리딩에 숙달하고, 소규모로라도 실제 고객을 상대하면서 경험을 쌓아야 한다. 그 이후, 브랜드 마케팅에 돌입해 자신만의 전문성과 신뢰도를 높여야 한다. 이렇게 온라인에서 어느 정도 입지를 다지게 되면, 광고 수익이나 다른 형태의 수익은 자연스럽게 따라오게 된다.

브랜딩은 단순히 이름이나 로고를 정하는 것이 아니라, 자신만의 가치와 철학을 명확히 하고 이를 지속적으로 전달하는 과정이다. 강력한 브랜드를 구축하기 위해서는 꾸준한 노력과 전략이 필요하며, 이를 통해 타로 리딩 비즈니스에서의 성공 가능성을 극대화할 수 있을 것이다.

마치며

타로와 ChatGPT의 미래

타로 카드는 수년간 꾸준한 수요와 공급을 유지해 왔다. 현대인의 고민이 늘어감에 따라, 타로에 대한 관심도 계속 증가하고 있다. 하지만 타로 리딩은 여전히 다른 점성술에 비해 신뢰도가 낮다는 인식이 많아, 그 가치는 상대적으로 낮게 평가되는 경우가 많다. 최근에는 온라인과 인공지능 기술의 발전으로, 다양한 앱과 웹사이트에서 무료 리딩 서비스를 제공하면서 전통적인 오프라인 타로점들이 점차 감소하는 추세이다. 그러나 이러한 시대적 변화에 적응하기 위해서는 새로운 방식으로의 전환과 혁신적인 접근이 필수적이다.

앞으로 온라인 타로 리딩 시장은 더욱 확대될 것으로 예상된다. 앞서 언급한 다양한 수익화 방안을 바탕으로 충분한 브랜딩과 마케팅 전략을 세운다면, 타로 리딩을 수익성 있는 아이템으로 발전시킬 수 있다. 온라인 타로 리딩의 가장 큰 장점은 시간과 장소의 제약 없이 어디서나 서비스를 제공할 수 있으며, 초기 비용이 거의 들지 않는다는 점이다.

물론, ChatGPT와 같은 AI를 활용하여 타로 리딩을 수행할 수 있게 되더라도, 인간의 통찰력과 감각은 여전히 중요한 요소로 남을 것이다. 인공지능이 아무리 발전하더라도, 인간 간의 직관적 이해와 감정적 교감은 완벽하게 대체하기 어려운 부분이기 때문이다. 따라서 ChatGPT를 활용한 타로 리딩에 전적으로 의지하기보다는, 본인의 직관과 해석을 더해 보다 정교하고 의미 있는 리딩 결과를 제공하는 것이 바람직하다.

이 책은 ChatGPT와 같은 AI 도구를 활용하여 더 나은 서비스를 제공할 수 있도록 돕고자 하는 취지에서 작성되었다. 인공지능 기술과의 결합은, 기존 타로 리더들이 더욱 창의적이고 효과적으로 리딩을 수행할 수 있는 기회를 제공할 것이다.

마지막으로, 이 책이 여러분에게 유익한 정보와 통찰을 제공했기를 진심으로 바란다. 타로 카드와 ChatGPT의 융합이 가져올 변화와 기회를 잘 이해하고, 이를 통해 자신의 목표를 달성하는 데 도움이 되었으면 좋겠다. 꾸준한 노력과 창의적인 접근이, 더 나은 결과를 만들어낼 것임을 확신한다. 여러분이 이 책의 내용을 바탕으로 타로 리딩의 새로운 지평을 열고, 성공적으로 수익을 창출하여 원하는 목표를 이루길 기원한다.